arc-en-ciel
cascade

ISBN 978-2-7002-2765-9 • ISSN 1142-8252

Loi n° 49-956 du 16-07-1949 sur les publications destinées à la jeunesse.

Texte de Pakita
Images de J.-P. Chabot

Chloé adopte des escargots

RAGEOT • ÉDITEUR

Vous connaissez Chloé ?

Elle aime tous les animaux du monde, même ceux qui piquent, qui griffent et qui mordent !

Elle a un gros cahier spécial animaux. Dedans, elle colle des photos, des plumes **d'oiseaux,** des poils de **chiens** et de **chats...**

Et en dessous, elle écrit des petits textes : sur leur vie, ce qu'ils mangent, où ils habitent, combien ils ont de pattes, tout ça.

Chloé dit qu'elle aimerait bien avoir un animal à elle et que, quand elle sera grande, elle sera docteur pour les animaux. (Ça s'appelle **vétérinaire.** C'est la maîtresse qui nous a appris ce mot.)

– Mais tu sais Agathe, je ne veux pas être vétérinaire juste des **chiens** ou juste des **vaches.** Je veux soigner **tous** les animaux du monde, même les **moustiques** et les **dragons.**

Elle a déjà commencé !

Par exemple l'autre jour, elle a voulu réparer la patte d'une **mouche** avec sa colle en tube, mais, sans faire exprès, elle a écrasé la **mouche** entre ses doigts. Elle n'arrêtait pas de pleurer alors, avec Aziz et Mamadou, on a mis la **mouche** dans une petite boîte et on l'a enterrée.

Il faut bien que Chloé s'exerce, surtout que chez elle, elle ne peut rien faire ! Sa maman **ne veut pas** d'animaux dans leur appartement. Elle les **déteste tous,** même les chiens gentils. Elle dit que les bêtes **sentent mauvais,** qu'elles font plein de **saletés** et qu'elles **ne servent à rien.**

Quand même, pour les chiens gentils, je trouve qu'elle exagère !

Alors tous les soirs, avant de s'endormir, Chloé rêve que ses parents lui font une surprise. Ils viennent lui dire bonsoir et, dans leurs bras, il y a **un hamster, un chat, un chien, une tortue** ou **un lapin nain** rien que pour elle !

Mais en vrai, dans leurs bras, il n'y a rien, alors elle parle à ses peluches.

– Tu sais Agathe, tous les ans je commande un animal au père Noël, mais il ne m'en a jamais apporté !

– Ne t'inquiète pas Chloé, je lui ai dit. Imagine... Le père Noël te choisit un petit chien. Il le met dans son traîneau. En plein ciel, ton petit chien se penche, et hop ! il tombe ! C'est trop dangereux. Le traîneau du père Noël, ça donne le vertige aux animaux !

Une fois, Chloé a désobéi à sa mère. Elle a rempli un pot avec de l'herbe et des **chenilles** et elle l'a caché dans sa chambre. Pendant la nuit, les **chenilles** sont sorties se promener. Zut ! Elle avait oublié de remettre le couvercle sur le pot !

Le matin, quand sa maman a vu les **chenilles** sur la moquette, elle a grondé Chloé.

Juste après les vacances, la maîtresse, madame Parmentier, nous a dit :

Cet après-midi,
nous irons voir
Florence, la bibliothécaire.
Elle va nous présenter
une animation sur les
escargots.

ourra !!!

Hourra !!!

C'était vraiment **génial !**

Dans un bocal, il y avait des escargots. Comme ils dormaient, Florence les a arrosés pour qu'ils se réveillent et ça a marché ! Ils sont sortis de leur coquille, on a vu leurs deux antennes se dresser et, tout au bout, leurs petits yeux noirs, même que Chloé a dit :

– Ouh là là, il y en a un qui a l'air fâché après nous !

Florence nous a appris plein de choses sur les escargots.

Vous saviez, vous, qu'ils sont **dame** et **monsieur** en même temps ? On dit qu'ils sont **hermaphrodites.** (C'est un mot difficile à écrire !)

Tom a dit :

– Dommage que les escargots ne mettent pas d'habits ! Ce serait drôle de voir un escargot avec une cravate de **garçon** et une jupe de **fille !**

On a bien ri.

Ensuite, en classe, on a dessiné un escargot. Aziz a fait un super escargot-jeu de l'oie. Coralie a fait sa miss Chichis : elle s'est dessinée en princesse escargot et la maîtresse a grondé Mathieu parce qu'en faisant la spirale de l'escargot, il ne s'est pas arrêté et il a continué sur la table.

– Mais c'est parce que c'est un escargot géant ! il a répondu.

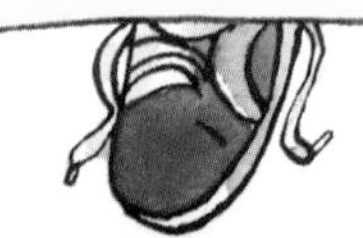
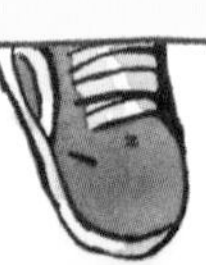

Tout à coup, Chloé s'est tournée vers moi :

– Agathe ! J'ai une idée ! Je vais **adopter** un escargot ! Même deux ! Comme ça, ils feront des bébés !

– Mais tu m'as dit que ta mère ne voulait pas d'animaux !

– Je ne lui dirai rien ! Je vais les cacher dans un pot sur mon balcon. Elle ne les verra pas !

Après l'école, j'ai cherché des escargots dans le parc avec Chloé. Elle habite juste en face de chez moi.

Florence nous a dit que, quand il pleuvait, les escargots aimaient se promener. Et justement il avait plu.

On en a trouvé **sept.**

– Aïe aïe aïe, comment je vais faire pour en choisir **deux** sans faire de jaloux ? a dit Chloé.

– Tu n'as qu'à organiser une grande course et garder les **deux premiers.**

– Mais non Agathe ! Il faut que je prenne les **deux derniers.** S’ils perdent, c’est qu’ils sont paresseux et s’ils sont paresseux, ils resteront dans le pot !

Elle connaît vraiment bien les animaux, Chloé.

– 3, 2, 1, partez !

Il n'y a pas un escargot qui a entendu le signal de départ ! C'est sûr, ils sont sourds ! Même Chloé ne se rappelle plus s'ils ont des oreilles ou pas ! Alors on a inventé une plouffe spécial escargots :

Plouf plouf ! Toi l'escargot,
tu es très beau,
pic sur ton dos, va dans mon pot,
1 2 3 Pic !

Et on a plouffé deux fois.

Le lendemain, Chloé a dit à tout le monde :

– Eh les copains, chez moi j'ai deux escargots **garçons-filles !** Je les ai appelés **Joséphin-phine** et **Corentin-tine.** Si vous voulez, vous pouvez leur faire un cadeau, ils seront très contents, euh... et moi aussi.

Manon leur a apporté deux bouquets d'herbe entourés d'un ruban. Louise a apporté deux feuilles de salade... et Zizette et moi, on a apporté chacune le bonnet de nos mini-poupées pour mettre sur leur coquille quand il fera trop froid. Chloé était super contente et eux aussi, c'est sûr.

Et puis ce matin, Chloé est arrivée à l'école en annonçant :

– **Ça y est !** Mes escargots vont avoir des bébés. Ils sont tombés amoureux. Ils sont tout collés, comme dans mon livre ! Oh là là ! **Je suis trop contente !**

– Je veux les voir ! a dit Mathieu. Ce soir, je viens chez toi. Dans ma poche, j'ai deux bonbons couleur salade pour eux !

Après l'école, on a couru chez Chloé.

– Regardez, ils s'embrassent encore ! a crié Chloé.

Mathieu s'est précipité. Mais quand ils les a vus tout collés d'amour, il les a pris dans ses mains pour les séparer.

Et il les a serrés fort, tellement fort qu'on a entendu :

La coquille de **Corentin-tine** était toute cassée !

Mathieu a reçu une claque énorme de Chloé.

Il n'avait jamais reçu une claque de fille alors il a hurlé :

Il a **jeté** par terre **Joséphin-phine** et il est parti en courant.

C'était horrible !

Chloé a pleuré, puis elle a été drôlement courageuse. Elle a dit :

– Bon, je vais chercher de la **colle,** du **vernis,** du **coton** et des **pansements** pour réparer leur coquille ! Je vais bien les soigner, on les laissera se reposer et bientôt, ils pourront s'embrasser et ils feront plein de bébés-œufs, hein Agathe ?

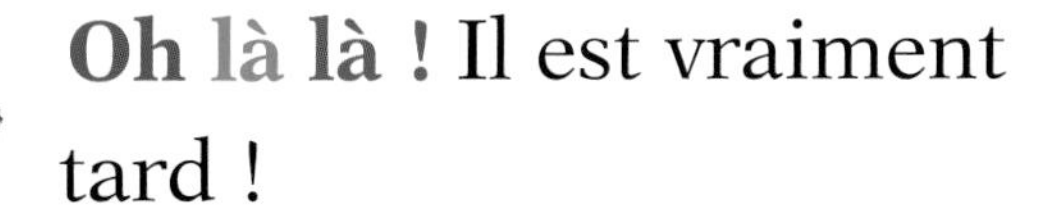

Oh là là ! Il est vraiment tard !

Ce soir, maman m'a dit qu'elle aimait beaucoup les escargots, mais cuits !

Elle les mange !

Heureusement que Chloé n'était pas là pour entendre ça !

Au fait, j'y pense... Ce midi, à la cantine, elle a pris **deux fois** du poulet ! C'est un animal, le poulet !

Demain, il faut qu'on parle.

Allez, bonne nuit les **escargots** et les **escargottes** !!!

Achevé d'imprimer en France en janvier 2009
par I. M. E. - 25110 Baume-les-Dames
Dépôt légal : février 2009
N° d'édition : 4875 - 08